Caru Nodyn

Gareth William Jones

Lluniau

gan

Jenny Williams

(h) testun: Gareth William Jones

(h) lluniau: Jenny Williams

Argraffiad cyntaf: Hydref 2008

Rhif Llyfr Safonol Rhyngwladol: 978-1-84527-176-3

Mae'r cyhoeddwyr yn cydnabod cefnogaeth ariannol
Cyngor Llyfrau Cymru

Llun clawr: Jenny Williams
Dylunio clawr: Tanwen Haf

Argraffwyd a chyhoeddwyd gan Wasg Carreg Gwalch,
12 Iard yr Orsaf, Llanrwst, Dyffryn Conwy, LL26 OEH.
☎ 01492 642031
📠 01492 641502
✉ llyfrau@carreg-gwalch.com
Lle ar y we: www.carreg-gwalch.com

I
Gaenor am gredu yn Nodyn
ac am yr anogaeth

Pennod 1

Shauna ydw i ac mi ddigwyddodd rhywbeth rhyfedd iawn i mi flwyddyn yn ôl. Rhywbeth anhygoel o anhygoel, mor anhygoel nes bod Blwyddyn 4 a phawb sy'n fy adnabod wedi'u synnu a'u rhyfeddu.

Agor ei cheg mewn syndod wnaeth Bethan, fy ffrind gorau, pan ddywedais i wrthi hi beth oedd fy nghyfrinach. Roedd Mam a Dad a Mrs Jenkins, y brifathrawes, wedi'u syfrdanu hefyd pan glywon nhw, ac roedd hyd yn oed doctoriaid yn crafu'u pennau.

* * *

Dechreuodd y cyfan gyda gwers biano na ddigwyddodd.

Doeddwn i erioed wedi bod isio chwarae'r piano, neu 'canu'r piano', fel mae Mrs Jenkins yn ei ddweud. Ond roedd Mam yn benderfynol fod rhaid i mi gael gwersi. Roeddwn i'n eu casáu nhw ac roeddwn i'n casáu *ymarfer* y piano hyd yn oed yn fwy.

Does dim gair mewn unrhyw iaith yn y byd i gyd i ddisgrifio faint roeddwn i'n casáu ymarfer y piano, felly bydd rhaid i mi greu gair. Gair fel, fel . . . *ychafiofnadwyaethus!*

Roeddwn i'n gwneud pob math o driciau i geisio osgoi fy ngwers biano, fel esgus bod â phoen yn fy mol, neu gur yn fy mhen, neu fod gen i ormod o waith cartref. Byddwn hyd yn oed yn esgus fod fy mysedd wedi cloi, ac un tro mi wnes i droi bysedd cloc y gegin ymlaen er mwyn esgus ei bod hi'n rhy hwyr i fynd i'r wers. Ond, gwaetha'r modd, doedd y triciau hyn byth yn gweithio.

"Mi wn i beth wyt ti'n ceisio'i wneud, Shauna," oedd ymateb Mam bob tro. "Ceisio osgoi'r wers biano wyt ti, ond dwyt ti ddim yn mynd i lwyddo. Mae'n rhaid i ti fynd at Madam Maria Daniels Davies, a rhyw ddiwrnod mi fyddi di'n diolch i mi am hynny."

Mae mamau'n gallu bod yn boen weithiau, yn tydyn?

Ond ymlaen â'r stori a dechrau o'r dechrau. Lle da i ddechrau stori bob amser yn ôl fy athrawes, Miss Jones. Mae'r stori'n dechrau un diwrnod yn ystod wythnos olaf gwyliau haf yr ysgol y llynedd.

Ar ddydd Mawrth. Efallai nad wyt ti ddim yn

meddwl ei bod hi'n bwysig iawn i nodi mai dydd Mawrth oedd y diwrnod, ond mae hynny'n bwysig iawn i'r stori. Ac roedd y dydd Mawrth arbennig hwnnw'n ddiwrnod heulog braf. Roedd Bethan, fy ffrind gorau, a minnau wedi penderfynu mynd ar ein beiciau i'r parc a mynd â phicnic gyda ni. Wel, dwy fisgeden a sudd oren, sydd yn fawr o bryd, dwi'n gwybod, ond mae'n ddigon da i wneud picnic.

Roedd Nain yn ein tŷ ni yn gwarchod Ben, fy mrawd bach a finnau, ac roedd hi'n hapus i ni'n dwy fynd i'r parc.

Wrth giatiau'r parc pwy welson ni ar eu beiciau ond Alys a Jac, yr efeilliaid sydd yn yr un dosbarth â ni. Cafodd Alys y syniad ffantastig o gael ras fynydd debyg i'r un welodd hi ar *Planed Plant* y noson cynt.

"Ond does dim mynydd yn y parc," meddai Jac.

"A dweud y gwir, does dim mynydd o fewn deng milltir i'r fan hyn," ychwanegodd Bethan, yn teimlo'n glyfar.

"Does dim angen mynydd," atebodd Alys.

"Y? Sut elli di rasio mynydd heb fynydd?" holodd Bethan.

"Mae digon o wreiddiau coed a gwair a llwybrau culion a mwd, felly pwy sydd angen mynydd? Y cynta at y coed!" gwaeddodd Alys wrth iddi bedlo nerth ei choesau tuag at y goeden gynta.

A dilynon ninnau hi fel tair mellten, a rasio'n wyllt drwy'r coed a thros y gwreiddiau, a llithro drwy'r mwd. Dyna pryd y cofiais mai dydd Mawrth oedd hi. Mae'n hawdd anghofio pa ddiwrnod ydi hi yn ystod gwyliau'r ysgol a chitha'n mwynhau eich hunan, yn tydi?

"Cacimwci! Dwi mewn trwbl nawr!" gwaeddais yn uchel.

"Beth sy'n bod?" holodd Bethan.

"Mae hi'n ddydd Mawrth!" meddwn i'n ddiflas.

"Ydi," meddai Jac, "Be 'di'r broblem?"

Eglurais mai heddiw oedd diwrnod fy ngwers biano ychafiofnadwyaethus a bod Madam Maria Daniels Davies wedi newid amser y wers gan ei bod hi'n wyliau ysgol.

"Faint o'r gloch mae dy wers di?" holodd Angharad.

"Hanner awr wedi deuddeg," atebais.

Edrychodd pawb ar eu wats ac yna arna i. Roedd hi'n ugain munud wedi deuddeg yn barod ac roedd angen mynd adref i nôl fy mag piano *a* chyrraedd tŷ Madam Daniels Davies mewn pryd!

"Anghofia am y wers," oedd cyngor Jac. "Pwy sydd angen gwersi piano, beth bynnag, yn enwedig yn ystod gwyliau ysgol?"

"Na, mae'n rhaid iddi fynd," meddai Bethan, "achos mi fydd ei mam hi'n ofnadwy o flin os gwneith hi fitsio."

"Oes, mae'n rhaid i mi fynd, sori," atebais yn drist.

Nid cas fyddai Mam petawn i'n colli'r wers ond ychafiofnadwyaethus o flin, heb sôn am Madam Maria Daniels Davies. Mi fasa honno'n bananas.

Na, doedd dim dianc i fod.

Yr unig beth oedd ar fy meddwl i wrth i mi wibio ar hyd y strydoedd oedd beth fyddai'n fy nisgwyl pan fyddwn yn cyrraedd tŷ Madam, yn ddifrifol o hwyr ac yn chwys diferu o'm pen i'm traed. Roedd hi wedi cwyno amdana i wrth Mam dwn i ddim faint o weithiau'n barod.

Efallai y tro hwn y byddai Dad yn penderfynu bod rhaid rhoi'r gorau i'r gwersi.

Dyna syniad gwych, meddyliais.

Ond wrth reidio nerth fy nhraed tuag adre i nôl fy mag miwsig, allwn i byth fod wedi dychmygu gymaint y byddai fy mywyd yn newid ar ôl y dydd Mawrth hwnnw. Cwbl anhygoel!

Pennod 2

Cyrhaeddais adre a'm gwynt yn fy nwrn, dweud helô sydyn wrth Nain a Ben, cydio yn fy mag miwsig a rhuthro allan. Dyna lwc fod Mam a Dad yn y gwaith achos mi faswn i wedi cael llond clust ganddyn nhw! Neidiais ar fy meic ac anelu am dŷ Madam. Pan gyrhaeddais ben y stryd lle roedd Madam yn byw, pwy oedd yn cerdded tuag ata i ond Catherine Enfys Gwilym, y swot mwyaf a welodd y byd erioed.

O, na! meddyliais, mae hi wedi gorffen ei gwers! Roedd Catherine Enfys Gwilym yn un o ddisgyblion Madam hefyd, a hi fyddai'n cael gwers yn union cyn fi. A phob tro y byddwn yn newid lle â hi byddai Madam yn brolio Catherine Enfys Gwilym i'r cymylau ac yn dweud mai hi oedd ei disgybl gorau erioed. Roedd hyn yn gwneud i mi deimlo'n ddiflas iawn, wrth gwrs.

"Mae Catherine Enfys wedi ennill yn Eisteddfod Genedlaethol yr Urdd!" ychwanegai, a byddai Catherine Enfys Gwilym yn troi ei phen i un ochr, yn rhoi gwên fach foddhaus ac yn dweud yn dawel, "Dim ond tair gwaith".

"Mae Catherine Enfys yn seren" oedd un arall o

hoff ddywediadau Madam, ac ambell waith byddai'n ychwanegu "seren ddisglair". Bob tro y byddwn i'n clywed hynny mi fyddwn i'n meddwl am y seren ddisglair y byddai Mam yn ei rhoi ar ben ein coeden Nadolig a meddwl cymaint yr hoffwn i roi pen-ôl Catherine Enfys Gwilym yno yn ei lle.

"Bydd Catherine Enfys yn mynd yn bell, yn bell iawn" oedd un arall o hoff ddywediadau Madam Maria Daniels Davies. Ond mi wnes i'n siŵr fy mod yn sgidio i stop yn agos iawn iawn at draed y seren y prynhawn hwnnw. Neidiodd yn ôl, ac yna dyma hi'n dechrau mwynhau dweud wrtha i nad oedd Madam Maria Daniels Davies yn hapus o gwbl am nad oeddwn i wedi cyrraedd eto.

"Hy, Shauna Owen! Fe ddwedodd Madam Daniels Davies dy fod ti'n siŵr o fod yn mitsio ac mae hi'n flin iawn efo ti," meddai â hen wên hyll ar ei hwyneb.

"Wel, dydw i ddim, nac ydw? Hwyr ydw i, dyna i gyd," meddwn i wrth ei gadael.

"Mae hi wedi ffonio dy fam yn y gwa-aith!" gwaeddodd yr hen snichyn ar fy ôl yn llawn sbeit.

"Wyt ti meddwl fod ots gen i, CEG? Na!" gwaeddais yn ôl a reidio nerth fy mhedlau tuag at dŷ Madam.

Doeddwn i ddim yn gweld wyneb Catherine, ond roeddwn i'n gwybod y byddai'r wên wedi diflannu pan glywodd fi'n ei galw'n 'CEG', achos roedd hi'n casáu cael ei galw'n CEG.

Roeddwn i'n gwybod cyn gweld CEG y byddai Madam yn flin gyda fi ond nawr roeddwn i'n gwybod ei bod hi'n mynd i fod yn ychafiofnad-wyaethus o gas. Doedd hi ddim yn hoffi i neb fod yn hwyr am fod hynny'n creu anhrefn, a doedd Madam ddim yn hoffi anhrefn.

Taflais fy meic at y wal wrth dalcen y tŷ a rhedeg at y drws. "Helô, fi sy 'ma," galwais yn wan ar ôl agor y drws, ond ches i ddim ateb. Rhyfedd, meddyliais.

Symudais yn nerfus a phetrus at ddrws yr ystafell gefn, lle roedd y piano, a gweld bod y drws ynghau. Rhyfedd iawn, meddyliais.

"Helô, fi sy 'ma," meddwn i wrth agor y drws, ac yna sefais yn stond.

Doedd dim rhyfedd nad oeddwn yn cael ateb oherwydd roedd Madam a'i phen ar allweddell y piano – yn cysgu! Ac roedd Nodyn, ei chath, yn eistedd ar ei chefn!

Dyna'r olygfa ryfedda a welais erioed. Cath ddu-a-gwyn yn eistedd ar gefn dynes â gwallt gwyn.

Pesychais yn ysgafn ond ches i ddim ymateb.

"Madam Daniels Davies," meddwn i'n dawel, ond ches i dim ateb.

"Helô, Madam Daniels Davies. Helô!" yn uwch y tro hwn, ond roedd pen Madam yn dal i orwedd ar y piano.

Plygais ac edrych ar ei hwyneb a sylwi bod golwg gwahanol i'r arfer arno. Yn sydyn neidiodd Nodyn oddi ar gefn ei meistres, glanio wrth fy nhraed a mewian nes gyrru ias i lawr fy nghefn i.

Cydiais yn llaw Madam a phan deimlais mor oer oedd honno roeddwn yn gwybod nad cysgu oedd hi. Roedd rhywbeth ofnadwy wedi digwydd iddi. Edrychais ar Nodyn ac roedd ei llygaid yn llawn tristwch. Edrychais eto ar Madam. Roedd hi newydd roi gwers i CEG ac, yn ôl honno, wedi ffonio Mam. Ond nawr roedd hi'n llonydd. Yn ychafiofnad-wyaethus o lonydd. Na, nid cysgu oedd hi.

Pennod 3

Roedd fy llaw yn crynu wrth i mi fyseddu rhif Dad ar fy ffôn symudol.

"Dad?"

"Shauna? Beth sy'n bod? Pam wyt ti'n llefen?"

"Mae rhywbeth ofnadwy wedi digwydd, Dad."

"Beth? Ble wyt ti? Ble mae Mam?"

"Dydi Mam ddim gyda fi . . . dwi yn nhŷ Madam Maria Daniels Davies . . . gwers biano. Mae hi'n edrych yn rhyfedd. Mae hi'n llonydd."

"Shauna?"

"Mae hi'n gorwedd a'i phen ar y piano ac roedd Nodyn yn eistedd ar ei chefn."

"Beth? Beth sydd wedi digwydd, Shauna?"

"Dad, dwi'n credu bod Madam Maria Daniels Davies wedi . . . wedi marw."

"Beth?"

"Beth wna i, Dad?"

"Ble yn union wyt ti, Shauna?"

"Dwi newydd ddeud wrthot ti, dwi yn nhŷ Madam."

"Cer allan y funud yma ac aros tu allan i'r tŷ . . . a phaid â chyffwrdd dim byd. Wyt ti'n deall?"

"Ydw. Iawn. Ond dwi isio ti yma, Dad."

"Bydda i yna nawr, cariad, ond cer allan o'r tŷ i aros amdana i." Ac aeth y ffôn yn fud.

Edrychais ar Madam gan obeithio y byddai hi'n deffro'n sydyn a rhoi cerydd i mi am fod yn hwyr, ond dal i orwedd a'i phen ar y piano roedd hi.

Cerddais allan o'r ystafell ac fel roeddwn i'n cyrraedd y drws teimlais ben Nodyn y gath yn rhwbio yn erbyn fy nghoes.

"Dydw innau ddim yn deall chwaith, Nodyn bach," meddwn i wrthi. Eisteddais ar riniog y drws ac eisteddodd Nodyn wrth fy ymyl a'i dwy lygad dywyll yn edrych i fyw fy llygaid.

"Dere yma," meddwn i gan ei rhoi hi yn fy nghôl.

Byddai Nodyn bob amser yn eistedd ar ben y piano pan fydden ni'r plant yn cael ein gwersi. Ches i erioed gyfle i roi mwythau go iawn iddi achos fod Madam bob amser yn mynnu fy mod i'n rhoi fy holl sylw i'r piano. Ond roeddwn i wastad yn rhwbio fy llaw yn ysgafn ar ei chefn pan nad oedd Madam yn edrych.

Doedd dim cath gyda ni achos doedd Dad ddim yn hoffi anifeiliaid anwes. Bob tro y byddai Ben neu fi'n gofyn am gi neu gath, neu hyd yn oed gwningen, ei ateb bob amser fyddai:

"Mae gen i ddau fwnci bach yn barod, felly dwi ddim eisiau rhagor o anifeiliaid, diolch."

Un tro, gofynnodd "Beth am gael pysgodyn aur, blant?"

"Allwch chi ddim rhoi mwythau i bysgodyn," oedd ateb Ben.

"Rheswm da dros gael pysgodyn," meddai Dad, "achos dydw i ddim eisiau i chi roi mwythau i ryw hen gi neu gath a chael haint."

Mae tadau'n gallu bod yn boen weithiau yn tydyn?

Roedd hi mor braf anwesu Nodyn wrth aros am Dad ac roedd fy ffrind bach yn amlwg yn teimlo yr un fath oherwydd roedd hi'n canu grwndi yn braf. Ond yn sydyn cododd ei chlustiau, neidio o'm gafael a saethu fel bwled i mewn i'r tŷ.

Eiliad yn ddiweddarach roedd y stryd yn llawn sŵn seiren a golau glas wrth i gar heddlu ac yna ambiwlans sgrechian i stop y tu allan i dŷ Madam.

"Helô," meddai'r plismon yn garedig wrth gerdded tuag ata i, "a beth yn union sydd wedi digwydd yma?"

"Mewn fan'na," meddwn innau'n grynedig.

Diflannodd i'r tŷ ac ar hynny cyrhaeddodd Dad. Fy nhro i oedd cael mwythau wedyn, ond wnes i ddim canu grwndi, dim ond crio.

"Dere," meddai Dad, "mae'n well i ni fynd adre a gadael i'r heddlu wneud eu gwaith."

"Ond beth am Nodyn?"

"Nodyn? Na, does dim angen sgrifennu nodyn, bach. Dere."

Mae tadau'n gallu bod yn dwp iawn weithiau, yn tydyn.

"Na, nid nodyn nodyn, ond Nodyn. Nodyn y gath. Cath Madam ydi Nodyn."

"Beth amdani?"

"Does neb i edrych ar ei hôl hi. Mae hi wedi colli ei meistres."

Ac ar hynny ymddangosodd Nodyn wrth fy nhraed.

"Drycha, dyma hi!"

"Paid â phoeni am ryw hen gath nawr, mi fydd yr heddlu'n siŵr o ofalu amdani. Dere – bydd Mam yn poeni amdanat ti."

"DAD! Paid â galw Nodyn yn hen gath. Drycha, mae hi'n hyfryd," meddwn i gan ei chodi a rhoi mwythau mawr iddi.

"Rho'r gath 'na i lawr, Shauna, y funud yma – rhag iddi dy grafu di neu roi chwain i ti."

"Mae hi'n dod adre gyda ni."

"Na, bach. Mi wn i dy fod ti wedi cael sioc ond ellith y gath 'na ddim dod adre 'da ni. Rho hi i lawr."

"Ond pam?"

"Am taw nid ni sydd piau hi, dyna pam. Os awn ni â hi adre, yna mi fydden ni'n ei dwyn hi. Rho hi i lawr."

"Wel, efallai y gallech chi fynd â hi adre am ddiwrnod neu ddau hyd nes y byddwn ni wedi cael cartre iddi," meddai'r blismones oedd newydd ddod atom.

Edrychodd Dad yn syn arni. Yna edrychodd arnaf fi ac yna ar Nodyn.

"Wel, dwi ddim yn siŵr . . . "

"Plîs, Dad?"

"Na. Mae'n ddrwg gen i . . . "

"O Dad, plîs . . . "

"Na – a dyna ddiwedd ar y peth. Rho hi i lawr a dere."

Beth arall allwn i ei wneud? Rhoddais gusan slei iddi ar ei phen du a gwyn a'i rhoi i lawr.

"Dere, Shauna."

Roeddwn i ar fynd at y car pan gofiais am fy meic.

"Beth am fy meic i?" gofynnais. "Wyt ti am i mi adael hwnnw ar ôl hefyd?"

Roeddwn i mor grac gyda Dad ac mor drist o orfod gadael Nodyn ar ôl.

"Wyt ti'n ddigon cryf i reidio beic?"

"Wrth gwrs fy mod i."

"Reit, reidia fo'n araf ar y palmant ac mi wna innau dy ddilyn yn y car."

Pan gyrhaeddon ni adref a gweld Mam, a oedd wedi dod adre o'r gwaith yn gynnar, allwn i ddim peidio â chrio a dechreuodd hithau grio hefyd.

"Fydd dim gwersi piano eto, na fydd?" gofynnais.

Cwestiwn gwirion, dwi'n gwybod, ond dyna ddaeth allan o 'ngheg i.

"Wel, ddim gyda Madam Maria Daniels Davies beth bynnag, cariad, achos mae Madam wedi marw, bach."

"Ac roeddet ti'n ferch fach ddewr," meddai Dad, "merch ddewr iawn."

Mi ges lawer o sylw y noson honno, hyd yn oed gan Ben. Roeddwn i'n mwynhau fy hunan gymaint fel nad oeddwn i ddim isio mynd i'r gwely, ond roedd rhaid i mi fynd, wrth gwrs.

Cyn cau'r llenni a mynd i'r gwely, edrychais allan

drwy'r ffenest. Ble mae Madam Daniels Davies, tybed? meddyliais. Ac yna cofiais am Nodyn. Ble roedd Nodyn?

Druan â Nodyn, meddyliais, gobeithio bod yr heddlu yn edrych ar ei hôl hi a gobeithio hefyd fod perthynas i Madam wedi rhoi cartref newydd iddi.

Wrth orwedd yn fy ngwely dyma fi'n dechrau meddwl a meddwl am beth oedd wedi digwydd y prynhawn hwnnw. Roeddwn i'n casáu gwersi piano ac roedd Madam yn gallu dwrdio. Doedd gwneud Catherine Enfys yn gymaint o ffefryn ddim yn deg ac roedd cwyno byth a hefyd wrth Mam amdana i yn boen, ond am i mi wneud fy ngorau oedd hi, mae'n siŵr.

Roedd y meddyliau yma'n troi a throsi yn fy mhen, ac roedd fy nghorff yn troi a throsi yn fy ngwely, pan glywais sŵn crafu ar ffenest fy ystafell wely. Crafu gwan, fel petai brigyn coeden yn taro'n erbyn y gwydr – ond does dim coeden yn agos at ein tŷ ni.

Codais yn araf o'r gwely a symud at y ffenest. Agorais y llenni'n araf a phwy oedd yno'n sefyll ar sil y ffenest ond Nodyn! Roedd y peth yn rhyfeddol. Mae'n rhaid ei bod hi wedi ein dilyn ni adre ac wedi aros hyd nes i mi fynd i'r gwely cyn dringo ar sil y ffenest. Ond os oedd hynny'n rhyfeddol, roedd beth ddigwyddodd yn ystod y dyddiau nesaf yn fwy rhyfeddol fyth. Yn anhygoel o ryfeddol!

Pennod 4

Agorais y ffenest a gafael yn Nodyn a'i mwytho nes ei bod hi'n canu grwndi yn uchel dros y lle.

"Shh, Nodyn," meddwn i wrthi, "rhag i Mam a Dad dy glywed ti. Os gwelith Dad ti, bydd e'n siŵr o dy daflu di allan, pws fach."

Ond mae'n rhaid ei bod yn rhy hapus i roi'r gorau i ganu grwndi. Roeddwn innau'n hapus hefyd a phenderfynais y funud honno fod yn rhaid iddi aros gyda fi am byth. Dad oedd y broblem. Roedd Dad yn siŵr o wrthod, achos roedd e wedi dweud yn ddigon plaen tu allan i dŷ Madam Daniels Davies na fyddwn i'n cael ei chadw. Roedd yn rhaid i mi gael cynllun, ond am y tro penderfynais ei chuddio o dan y dwfe.

Iawn. Nid y syniad gorau, mi wn, ond dyna'r cyfan allwn i feddwl amdano ar y pryd. Roedd hi mor hyfryd cael gorwedd o dan y dillad yn gynnes braf gyda Nodyn. Roedd y ddwy ohonon ni mor hapus.

Yn anffodus, torrwyd ar ein hapusrwydd gan sŵn Mam yn dringo'r grisiau. A phan glywais i hi'n agor y drws, dechreuodd fy nghalon garlamu.

"Nos da, Shauna," meddai gan roi cusan i mi.

"Nos da, Mam," atebais.

Diffoddodd y golau.

"Nos da, Nodyn," meddwn yn dawel wedyn a rhoi fy mraich ar y blew bach du a gwyn. "Fi sydd piau ti nawr."

Roedd Madam wedi mynd ac os nad oedd ganddi deulu, dim ond fi oedd yna i edrych ar ôl Nodyn. Dim ond fi. Felly, fy Nodyn i oedd hi nawr.

Mi fyddai Nodyn a fi wedi cysgu'n dawel o dan y dwfe drwy'r nos oni bai am Ben, fy mrawd bach!

Roedd Ben dair blynedd yn ifancach na fi a dydi plant pump oed ddim yn gallu cadw cyfrinach. Maen nhw'n prepian popeth, yn tydyn?

Pan glywais ddrws fy ystafell wely yn agor a sŵn traed Ben yn llusgo tuag ata i roeddwn i'n gwybod bod fy nghyfrinach mewn perygl mawr.

"Cer yn ôl i dy wely, Ben!" sibrydais.

"Ond, Shauna! Dwi isio dod atat ti," cwynodd.

"Wel, chei di ddim. Cer 'nôl i dy wely neu cer at Mam a Dad. Dwi isio cysgu," meddwn innau'n gas.

"Ond dwi isio gwbod beth ddigwyddodd i dy ddynes piano di."

"Cer 'nôl i dy wely a dwi'n addo y dweda i wrthot ti bore fory. Iawn?"

"O plîs, Shauna."

Ac ar hynny cododd y dwfe a rhoi'i droed yn y gwely. Yna, y cwbl glywais i oedd: "Y?" Wedyn "E?" Ac yna bloedd: "MAM! Mae cath yng ngwely Shauna!"

Cododd clustiau Nodyn yn syth ar ei phen, saethodd allan o'r gwely a chuddio tu ôl i'r cwpwrdd.

Dylet ti fod wedi bod yno i weld wyneb Mam.

"Shauna, ydi Ben yn dweud y gwir?" holodd pan ddaeth i mewn i'r ystafell. Mi faswn i wedi gallu gwadu a gobeithio y byddai Mam yn fy nghredu ac yn derbyn bod Ben yn dychmygu pethau oni bai am un peth. Roedd mewian yn dod o du ôl i'r cwpwrdd!

"Ti'n gweld, dwi'n iawn, Mam," meddai Ben.

"Sut ar y ddaear y daeth cath i mewn i dy stafell wely di?" holodd Mam.

"Nodyn ydi hi, cath Madam. Mae hi wedi'n dilyn ni yr holl ffordd adre, Mam, ac wedi cael hyd i fy stafell wely i. Mae hi'n gath arbennig, Mam."

"Mae hi'n gath sy'n llawn chwain," meddai Dad, yn dod i mewn i'r ystafell wely.

"Beth ydi chwain?" gofynnodd Ben.

"Pryfed bach sy'n byw mewn cathod ac sy'n cnoi pobl," atebodd Dad.

"Ych a fi," meddai Ben. "Roedd hi dan y dwfe."

"BETH?" gwaeddodd Mam a Dad gyda'i gilydd.

"Does dim chwain gan Nodyn. Mae hi'n gath lân, siŵr," meddwn innau gan ddechrau crio.

"Mae pob cath yn llawn chwain," atebodd Dad gan symud at y cwpwrdd bach wrth fy ngwely gyda'r bwriad o gydio yn y gath. Ond roedd Nodyn yn rhy gyflym iddo a diflannodd o dan y wardrob.

Aeth Dad ar ei bedwar a sbecian o dan y wardrob ac yno roedd Nodyn yn syllu'n ôl arno yntau.

"Pws, pws, pws. Dere nawr. Dere, pws fach. Dere, pws fach."

"Paid â gwrando arno fe, Nodyn, dim ond dy roi

di allan wneith e."

"Shauna, bydd dawel. Bydd yn ferch gall nawr."

"Ydi'r pryfed bach du 'na yng ngwely Shauna?" gofynnodd Ben.

"Bydd dawel, Ben! Rwyt ti wedi gneud digon o ddrwg am un noson!" gwaeddais.

"Ti sydd wedi gwneud y drwg," meddai Dad, yn dal i geisio perswadio Nodyn i ddod allan o dan y wardrob.

"Pam na chaiff hi aros am heno? Un noson? Plîs?"

"Na. Dwi wedi dweud wrthot ti, mae'n rhaid iddi fynd."

Claddais fy mhen yn y gobennydd a chrio, ac ar hynny dyma Mam yn meddalu.

"Efallai na fyddai un noson yn gwneud llawer o ddrwg," meddai. "Beth petaen ni'n ei chau hi yn y garej am heno a'i rhoi hi i'r heddlu fory?"

Mae mamau'n gallu bod yn grêt weithiau, yn tydyn?

"Mae hi wedi mynd braidd yn hwyr ac os rhown ni hi allan efallai yr aiff hi ar goll," meddai hi wedyn.

"Roedd hi'n gwybod ei ffordd yma yn ddigon da," atebodd Dad yn swta.

"Beth petai rhywbeth yn digwydd iddi. Faswn i ddim yn gallu maddau i mi fy hun wedyn," meddai Mam.

"Wel . . . ," meddai Dad. "Dim ond am heno."

"O diolch, Dad!" gwaeddais.

"Ond sut dwi'n ei chael hi allan o fan'na?" holodd Dad.

"Dwi'n gwybod! Dal llygoden o dan ei thrwyn hi," awgrymodd Ben.

"O ie, ac o ble gawn ni lygoden, y twpsyn?" meddwn innau wrtho'n gas. Ac, wrth gwrs, dechreuodd yntau grio.

"Shauna!" meddai Mam yn siarp.

"Sori. Mi wn i sut i'w chael hi allan," meddwn i wedyn.

"Sut?"

"Ewch chi i gyd allan o'r ystafell a gadewch fi a hi yma ar ein pennau'n hunain, a dwi'n siŵr y daw hi allan wedyn."

"Wel . . . mae'n werth rhoi cynnig ar hynny, mae'n siŵr," atebodd Dad, yn codi ar ei draed.

"Mi waedda i arnoch chi pan ddaw hi allan."

"A gofala dy fod ti'n gwneud hynny'n syth. Dim triciau," rhybuddiodd Dad.

Aeth y tri allan ac mi ddechreuais chwibanu'n dawel. Yn y man clywais symudiad o dan y wardrob ac yna daeth pen bach du a gwyn del i'r golwg a syllodd llygaid mawr tywyll arnaf yn ofalus.

Edrychodd o'i chwmpas ac yna arna i. Wedi iddi ymestyn ei chorff fel petai hi newydd ddeffro, daeth at y gwely ac mewn un symudiad roedd hi yn fy mreichiau unwaith eto. Mi gafodd fwythau mawr gen i ond wnes i ddim galw ar Dad yn syth.

Codais o'r gwely a chario Nodyn allan o'r ystafell, a dyna ble roedd y tri arall yn aros amdanon ni. Aethon ni i lawr i'r garej, lle cafodd Dad hyd i focs a rhoddodd Mam hen siwmper feddal ar ei waelod.

Yna, aeth Mam i'r oergell a thorri darn o gyw iâr roedd hi wedi'i brynu ar gyfer swper y noson wedyn a'i roi ar hen soser i Nodyn.

Roedd Mam yn dechrau'i hoffi ac roedd Ben hyd yn oed isio rhoi mwythau iddi. Cafodd wneud ar yr amod ei fod yn golchi ei ddwylo'n syth wedyn.

Pan ddeffrois yn y bore codais yn syth ac es i lawr i'r garej. Roedd Nodyn yn aros amdanaf wrth y drws a'r newyddion da oedd ei bod wedi bod yn ferch dda. Doedd hi ddim wedi defnyddio'n garej fel tŷ bach! Roedd hynny wedi plesio Dad achos roedd yn disgwyl y gwaetha. Ond wnaeth hynny ddim ei atal rhag ffonio'r heddlu. Er siom iddo, doedden nhw

ddim yn gallu helpu. Roedd digon o broblemau ganddyn nhw wrth chwilio am rywun oedd yn perthyn i Madam heb chwilio am gartref i'w chath hefyd. Yr unig awgrym oedd ganddyn nhw oedd mynd â hi i gartref cathod. Ond allai hyd yn oed Dad ddim gwneud hynny.

"Wel, bydd rhaid i ni gael tabledi rhag chwain iddi," oedd ei eiriau olaf cyn cytuno bod Nodyn yn cael aros.

"HWRÊ!" gwaeddodd Ben a finnau gyda'n gilydd.

A gallai hynny fod wedi bod yn ddiwedd ar y stori; cath amddifad yn cael ffrind newydd, a Ben a minnau'n cael anifail anwes am y tro cynta erioed – a phawb yn byw yn hapus am byth.

Ond nid dyna ddiwedd y stori o bell ffordd oherwydd union wythnos ar ôl i Nodyn ddod i fyw aton ni digwyddodd rhywbeth rhyfedd iawn. Y peth rhyfedda allai ddigwydd i unrhyw un – ac mi ddigwyddodd i mi. Fi, Shauna Owen, o bawb!

Pennod 5

Wythnos union i'r diwrnod ychafiofnadwyaethus pan fu farw Madam, fel pob diwrnod arall ers hynny, codais a rhedeg i'r garej i roi mwythau i Nodyn. Yna ei bwydo a rhoi rhagor o fwythau iddi, cyn i Mam weiddi arna i i fynd i molchi a newid.

Ond y diwrnod arbennig hwnnw digwyddodd rhywbeth rhyfedd iawn, achos wedi i mi roi mwythau iddi yr eildro teimlas ias drydanol yn rhedeg trwy fy nghorff.

Gyda Nodyn yn fy mreichiau dechreuais gerdded allan o'r garej fel pe bawn mewn breuddwyd, a chael fy hunan yn yr ystafell fyw yn camu tuag at y piano! Doeddwn i ddim wedi bod yn agos at y piano ers dros wythnos. Ond nawr roedd y piano fel magned yn fy nhynnu ati hi ac roedd Nodyn yn canu grwndi'n braf yn fy mreichiau. Roeddwn i'n cael fy nenu at y piano fel mae rhywun yn cael ei ddenu at fan hufen iâ ar ddiwrnod poeth.

Eisteddais ar y stôl a neidiodd Nodyn o'm breichiau i fynd i eistedd ar ben y piano. Rhoddais fy nwylo ar yr allweddell a heb yn wybod i mi symudodd fy mysedd i fyny ac i lawr ar hyd y nodau, ac er syndod i mi roedd y nodau hynny'n gwneud synnwyr. Roedd popeth a ddysgodd Madam i mi yn llifo o'm cof i lawr fy mreichiau ac i mewn i'm bysedd. Roedd fy amseru'n berffaith, doedd dim rhaid chwilio am y nodau iawn a doedd dim rhaid poeni a oedd nodyn yn fflat neu yn siarp. Ac roedd y miwsig yn swnio'n hyfryd. Roeddwn i'n gallu canu'r piano'n bert, ac ar ben hynny, roeddwn i'n mwynhau fy hun!

Wn i ddim am ba hyd y bues i yno, ond gallwn i fod wedi aros yno'n canu'r piano drwy'r dydd.

Ond ches i ddim, oherwydd clywais lais Mam yn gweiddi arna i o'r gegin.

"Shauna! Diffodd y teledu 'na ar unwaith a cer i molchi a newid." Roedd Mam yn meddwl mai o'r teledu roedd miwsig y piano yn dod!

Penderfynais gadw'r gyfrinach i mi fy hun am ychydig achos nid amser brecwast – â Mam a Dad ar frys i fynd i'w gwaith – oedd yr amser gorau i ddangos fy nhalent newydd. Ac eto, roeddwn i'n byrstio isio dweud wrth rywun.

Codais o'r stôl biano a chydio yn Nodyn a'i mwytho.

"Mam?" meddwn wrth fynd heibio'r gegin.

"Ie?"

"Wyt ti'n meddwl y galla i gael gwersi piano gyda rhywun arall nawr fod Madam Daniels Davies wedi marw?"

Bu bron i Mam dagu a gollwng ei llwy i ganol ei chreision ŷd.

"Roeddwn i'n meddwl dy fod ti'n casáu dy wersi

piano?" arthiodd Dad, yn edrych dros ei bapur, "a rho'r gath yna i lawr."

"Chi'n iawn, doeddwn i ddim yn rhy hoff ohonyn nhw . . . "

"Ddim yn rhy hoff! Roeddet ti'n gwneud pob math o driciau i'w hosgoi," meddai Mam.

"Ia, dwi'n gwybod nad oeddwn i ddim yn eu hoffi rhyw lawer ond, wel, nawr dwi'n deall beth wyt ti'n feddwl pan wyt ti'n dweud y gallen nhw fod o help i mi rywbryd yn y dyfodol, Mam."

Edrychodd Mam a Dad ar ei gilydd a gwelais Dad yn codi'i aeliau. Dwi'n casáu oedolion yn gwneud hynny.

"Mi gawn ni drafod y peth heno," meddai Dad yn ei lais 'dyna ddiwedd ar y peth', "a rho'r gath 'na i lawr."

"Iawn," atebais gan roi Nodyn i lawr yn ofalus a theimlo fel ysgwyd y ddau.

Llyncais y Coco Pops yn gynt nag arfer y bore hwnnw er mwyn mynd yn ôl at y piano, ond cyn i mi gael y pleser o roi fy mysedd ar y nodau eto dyma Mam yn gweiddi:

"Dere, Shauna! Mi fyddi di'n hwyr i'r ysgol."

Roeddwn i'n teimlo mor siomedig yn gadael y piano. Dyna ryfedd, meddyliais.

*   *   *

"Beth?" holodd Bethan, fy ffrind gorau, gan agor ei cheg mewn syndod. "Chwarae heb gopi?"

"Wir yr! Dyna'r union beth ddigwyddodd i mi bore 'ma," atebais.

"Dwi ddim yn dy gredu di."

"Dwi'n gwybod ei bod hi'n anodd credu'r peth, a dwi ddim yn deall yn iawn chwaith, ond dwi'n deud y gwir wrthot ti. Roeddwn i'n medru canu'r piano yn well na CEG hyd yn oed!"

"Ond dwi wedi dy glywed ti'n canu'r piano, Shauna, a ti'n ofnadwy!"

"Diolch yn fawr, Bethan."

"Wel, mae'n ddrwg gen i, Shauna, ond fel yna mae hi. Dwi ddim yn dda ar y piano chwaith."

"Ond dwyt *ti* ddim yn cael gwersi, Bethan!"

"Ond ti'n casáu'r piano, Shauna. Roeddet ti hyd yn oed yn falch fod y ddynes Madam-thingi 'na wedi marw."

"Madam Maria Daniels Davies, a dydi hynny ddim yn wir, Bethan. Paid â deud peth fel 'na achos mae marw'n beth ychafiofnadwyaethus."

"Wyt ti'n mynd i gael gwersi piano gyda rhywun arall, Shauna Owen, nawr fod Madam Maria Daniels Davies wedi marw?" holodd Catherine Enfys Gwilym, yn torri ar ein traws. "Rydw *i*'n mynd i gael gwersi gan athro mewn coleg, meddai Mam."

Cyn i mi gael cyfle i ddweud gair, roedd Bethan wedi agor ei cheg fawr.

"Does dim angen gwersi ar Shauna, CEG, achos mae hi'n gallu canu'r piano yn well na ti," meddai, Bethan, cyn i mi gael cyfle i ateb.

"Ers pryd, felly?"

"Ers bore 'ma."

"Na, Bethan, plîs," meddwn, yn gweld yn union beth oedd yn mynd i ddigwydd.

"Yn well na fi! Yn ei breuddwydion, Bethan Lewis!" meddai Catherine yn sbeitlyd.

"Mae hi newydd ddeud wrtha i. Mae hi'n gallu chwarae popeth ar ei chof. Does dim angen copi arni hi fel ti."

"Beth?" ebychodd CEG.

Roeddwn i'n dechrau teimlo'n wan.

"Ydi, ac mae hi am ddangos i ni yn y neuadd amser chwarae, on'd wyt ti, Shauna?"

Roeddwn i'n teimlo'n wannach fyth.

"Amser chwarae amdani 'te," meddai CEG, a

chwerthin nerth ei phen, cyn mynd i rannu'r hwyl gyda'i ffrindiau.

Pam, o pam wnes i agor fy ngheg, meddyliais, a dechrau poeni mai dychmygu'r cyfan wnes i ac na faswn i'n gallu canu piano'r ysgol gystal â fy mhiano fy hun. Mi faswn i'n gwneud ffŵl o fy hunan o flaen y plant eraill ac yn gwneud CEG yn fwy hapus nag erioed.

Dechreuais obeithio y byddai'n braf ac y byddai Miss Jones yn mynnu ein bod yn mynd allan i gael 'awyr iach' ac na fyddai'n bosib mynd i'r neuadd. Yn anffodus, clywais y glaw yn disgyn ar y ffenest ac roedd cymylau duon yn crynhoi.

Pennod 6

Pan ganodd y gloch am egwyl y bore gafaelodd
Bethan yn dynn yn fy mreichiau fel na allwn ddianc,
a'm llusgo tua'r neuadd. Pan gyrhaeddais yno allwn
i ddim credu fy llygaid. Roedd Blwyddyn 4 i gyd yn
aros amdanaf o gwmpas y piano ac roedd CEG a'i
ffrindiau yn y rhes flaen.

Wrth i mi eistedd ar y stôl, roedd fy nwylo'n
crynu.

Piti na fyddai Nodyn yma i mi ei mwytho,
meddyliais. Ond gallwn ei gweld yn eistedd ar ben y
piano.

Rhoddais fy nwy law uwchben y nodau.

"Cer yn dy flaen, dangos iddyn nhw," meddai
Bethan.

"Dangos iddyn nhw, Shauna," meddai Jac yn
dawel.

"Ia, dangos i ni," gwaeddodd CEG gan edrych yn
sbeitlyd arna i, "cer yn dy flaen, gwna ffŵl o dy
hunan."

Caeais fy llygaid a dychmygu fy hunan yn
mwytho Nodyn, yna eu hagor a rhoi fy mysedd yn
ysgafn ar yr allweddell. Eiliad yn ddiweddarach

dechreuodd fy mysedd symud ar hyd y nodau ac roedd y gerddoriaeth yn llifo o'r piano. Wn i ddim am ba hyd y bues i'n canu'r piano ond mi wnes i fwynhau pob eiliad, ac wedi i mi orffen gorffwysais nwylo ar yr allweddell. Roeddwn i mewn breuddwyd nes i mi glywed llais Bethan yn sibrwd yn fy nghlust:

"Anhygoel, Shauna, blincin anhygoel!"

Codais fy mhen a gweld wyneb Jac yn gwenu o glust i glust arna i a sylweddolais fod pobman yn dawel. Roedd Catherine Enfys Gwilym yn llonydd ac yn edrych arna i a'i cheg yn fawr fel ogof.

"Shauna Owen!" Roedd Mrs Jenkins, y brifathrawes, yn sefyll yn nrws y neuadd.

"Mae'n ddrwg gen i, Mrs Jenkins, nhw ddwedodd wrtha i am wneud."

Disgwyliwn y gwaetha achos nid fi oedd hoff ddisgybl Mrs Jenkins o bell ffordd, ac roeddwn i wedi meiddio agor y piano amser chwarae a'i chanu!
Roedd hi byth a hefyd yn gweiddi arna i, ac yn dweud pethau fel:

'Shauna Owen, bydd yn dawel! Shauna Owen, paid â rhedeg! Shauna Owen, paid â bod yn hogan wirion! Shauna Owen, rwyt ti'n ferch ddiog!'

Ond wnaeth hi ddim gweiddi arna i'r bore hwnnw.

"Dwi am i chi i gyd fynd i'ch dosbarth yn dawel, blant, oherwydd mi hoffwn i gael gair bach gyda Shauna," meddai, ac aeth pawb allan yn sibrwd ymysg ei gilydd.

"Wyt ti'n meddwl y gallet ti ganu darn arall i mi ar

y piano, Shauna?" holodd mewn llais rhyfeddol o garedig.

"Mi dria i, Miss," atebais yn dawel. Caeais fy llygaid am eiliad, meddwl am Nodyn, ac yna i ffwrdd â mi a'm bysedd unwaith eto'n dawnsio i fyny ac i lawr y nodau.

"Ardderchog, Shauna!" meddai wedi i mi orffen. "Rwyt ti *yn* ferch dda ac mae hi'n amlwg dy fod ti wedi bod yn gweithio'n galed. Yn galed iawn. Doedd gen i ddim y syniad lleiaf dy fod ti mor dalentog."

"Diolch, Mrs Jenkins. Ydw, mi ydw i wedi bod yn gweithio'n galed yn ddiweddar."

Iawn, roeddwn i'n dweud celwydd, ond wyt ti'n meddwl y byddai hi wedi credu'r gwirionedd? Sef bod rhoi mwythau i gath wedi fy ngwneud yn bianydd gwych? Dim siawns! Ambell waith mae celwydd yn haws i'w gredu na'r gwirionedd.

Pan es i 'nôl i'r dosbarth roedd Catherine Enfys Gwilym yn edrych yn ychafiofnadwyaethus o gas arna i. Byddai'n rhaid i mi ei gwylio'n ofalus, meddyliais, achos byddai'n sicr o geisio dial arna i.

Cyn cinio daeth Mrs Jenkins i'r dosbarth a gofyn i Miss Jones a fyddai'n fodlon i mi fynd gyda hi i'r neuadd am ychydig. Gallwn deimlo llygaid pawb yn y dosbarth yn syllu arna i wrth i mi fynd tuag at y drws, ac mi wyddwn fod CEG yn edrych arna i gyda llygaid moch bach.

Pan gyrhaeddon ni'r neuadd rhoddodd Mrs Jenkins gopi o gerddoriaeth nad oeddwn wedi'i weld o'r blaen yn fy llaw.

"Wyt ti'n credu y gallet ti ganu'r darn yma, Shauna?"

"Wn i ddim. Dwi ddim yn credu, Miss."

Doeddwn i ddim wedi cael cyfle eto i weld a allwn i ddilyn copi – a hwnnw'n gopi dieithr.

"Gwna dy orau i mi."

Gosododd y darn ar y piano ac edrychais arno. Roedd pedwar siarp ynddo!

"Mae hwn yn anodd, Mrs Jenkins."

"Ydi, mae o," atebodd, "ond gwna dy orau, Shauna fach."

Gosodais fy mysedd ar y nodau. Edrychais ar y copi ac am funud roeddwn i'n meddwl fy mod i'n gallu gweld wyneb del du a gwyn Nodyn yn y copi, ond dychmygu oeddwn i, wrth gwrs. Yna dechreuodd fy mysedd symud yn llyfn i fyny ac i lawr yr allweddell. Wedi i mi orffen rhoddodd Mrs Jenkins ei llaw ar fy ysgwydd.

"Ardderchog, Shauna. Ardderchog. Rwyt ti newydd berfformio darn gosod Eisteddfod yr Urdd ac os gwnei di ganu'r piano fel yna yn yr eisteddfod mae siawns go dda yr enilli di."

Cystadlu yn Eisteddfod yr Urdd! Doeddwn i erioed wedi bod mewn côr o'r blaen hyd yn oed. A deud y gwir, doeddwn i erioed wedi bod mewn eisteddfod heblaw am un yr ysgol, a dim ond eistedd yn ddiflas yn y gynulleidfa roeddwn i wedi'i wneud yn honno.

Byddwn i wastad yn cael fy ngosod allan o'r ffordd yng nghefn y côr bob tro roedd cyngerdd neu sioe Nadolig, a nawr roedd Mrs Jenkins am i mi gystadlu yn Eisteddfod yr Urdd – ac yn credu y gallwn i *ennill.*

Efallai ei bod hi'n iawn, meddyliais. Roedd y darn yn edrych yn anodd ar y cychwyn ond pan ddechreuais i roi fy mysedd ar y piano roedd y darn yn eitha hawdd ac, wrth gwrs, byddai'n gyfle i guro CEG.

Pan oeddwn i'n meddwl am hyn clywais Mrs Jenkins yn dweud rhywbeth na chlywais i neb erioed yn dweud wrtha i o'r blaen yn fy holl fywyd.

"Shauna Owen, dwi'n credu y gallet ti fod yn seren."

Elli di ddim credu pa mor hapus roeddwn i'n teimlo ac aeth fy nhu mewn i'n gynnes, gynnes.

"Sut mae egluro'r peth?" oedd cwestiwn Jac amser cinio.

"Dwn i ddim," oedd fy ateb, "dwn i ddim."

"Beth sydd wedi digwydd i ti?" holodd Angharad.

Roeddwn i'n byrstio isio deud wrthyn nhw ond dim ond chwerthin am fy mhen fydden nhw. Drwy'r prynhawn, y cwbl oedd ar fy meddwl oedd mynd adref i roi mwythau i Nodyn, a phan gyrhaeddais i adref roedd hi'n aros amdanaf wrth y drws cefn. Codais hi a rhoi cusan iddi ar ei phen.

"Diolch i ti, Nodyn. Dwi'n dy garu di, Nodyn, yn fwy nag erioed," meddwn yn dawel a cherdded i mewn i'r gegin.

"Te?" holodd Mam.

"Dim diolch, dwi isio ymarfer y piano gyntaf."

Edrychodd Mam yn syn arna i ac yna rhoi'r edrychiad 'pa dric sydd gyda hon i fyny ei llawes, tybed?'

"Mae Mrs Jenkins wedi rhoi darn yr Urdd i mi i'w ymarfer," meddwn wrth fynd i'r ystafell fyw.

"Iawn, cariad," ac yna, "*Beth?!*" gwaeddodd gan fy nilyn.

Gosodais Nodyn ar ben y piano, eisteddais, ac o fewn eiliad roedd y sain fwyaf hyfryd yn dod o'r piano.

Fel y gelli di feddwl, roedd Mam wedi synnu a rhyfeddu. Fel arfer byddai'n swnian arna i i fynd at y piano ac wedyn yn fy ngadael ar fy mhen fy hunan mewn diflastod, ond y prynhawn hwnnw eisteddodd i wrando arna i, a mwynhau pob eiliad.

Roedd fy mywyd ar fin newid, er gwell ac er gwaeth.

Pennod 7

Wna i byth anghofio'r tro cynta i mi gyfeilio yn y gwasanaeth boreol.

Roeddwn i mor nerfus, roedd gen i boen ychafiof-nadwyaethus yn fy mol ac roeddwn i isio rhedeg adre.

Er bod CEG yn seren ar y piano doedd hi erioed wedi cyfeilio yn y gwasanaeth am ryw reswm, ac felly doedd hi ddim yn seren hapus iawn y bore hwnnw. Cyhoeddodd Mrs Jenkins yr emyn cyntaf a llyncais fy mhoer.

Edrychais ar y copi a chau fy llygaid am eiliad a dychmygu llygaid Nodyn yn edrych arna i'n annwyl. Agorais fy llygaid a rhoi fy nwylo ar y nodau. Cyn i mi sylweddoli, roedd fy mysedd yn llithro'n berffaith drostyn nhw. Ar ôl i'r canu orffen roedd Mrs Jenkins yn gwenu arna i ac roedd y boen wedi diflannu o'm bol. Fe fyddwn i'n cyfeilio yn y gwasanaeth bob wythnos o hynny ymlaen a chefais eitem i fi fy hunan yn y cyngerdd Nadolig.

Dechreuais gael gwahoddiadau i berfformio mewn cyngherddau lleol ac mewn dim amser roedd pawb isio siarad â'r ferch naw mlwydd oed oedd yn

gallu canu'r piano fel pianydd proffesiynol.

Ymhen amser roeddwn i'n gallu canu darnau ychafiofnadwyaethus o anodd gan bobl gydag enwau hir fel Rachmaninov a Ludwig van Beethoven. Cyn bo hir clywodd y papur lleol am fy nghampau a daeth gohebydd a ffotograffydd heibio ryw noson. Roedd cyffro mawr yn ein tŷ ni pan gyrhaeddodd y papur â'm llun i ar y dudalen flaen! Ar ôl hynny dechreuodd y ffôn ganu'n ddi-baid ac mi ges i wahoddiad i ymddangos ar Radio Cymru, *Planed Plant* a hyd yn oed *Newyddion S4C.*

Fi enillodd yn eisteddfod gylch yr Urdd – gan guro CEG – ac roeddwn yn fuddugol yn yr eisteddfod sir ac yn y Genedlaethol.

Yn dilyn y llwyddiant yn Eisteddfod yr Urdd, dyma dderbyn gwahoddiad i ymddangos mewn cyngerdd Gŵyl Ddewi yn Neuadd Albert yn

Llundain gyda Bryn Terfel. Roedd honno'n noson arbennig iawn; roedd dyn o gwmni recordiau yno ac mi ges i wahoddiad i stiwdio yn Llundain i recordio albwm.

Aeth bywyd yn ychafiofnadwyaethus o brysur ar ôl i'r albwm ymddangos, achos roeddwn i'n ymddangos ar y teledu, yn cymryd rhan mewn cyngherddau a hyd yn oed yn agor nosweithiau coffi. Ar y dechrau roeddwn i'n mwynhau'r sylw ac roeddwn i wrth fy modd yn cael arian poced ychwanegol (er bod Mam a Dad yn rhoi'r rhan fwya o'r arian roeddwn i'n ennill yn y banc).

Yn anffodus, roedd y bywyd newydd braidd yn anodd ambell waith hefyd achos doedd dim llawer o amser i weld Bethan, Alys a Jac tu allan i oriau ysgol. Roedd fy meic wedi dechrau rhydu yn y garej, ac ar ben hynny roedd CEG yn fy nghasáu â chas perffaith.

Cyn i mi ddod yn seren, doedd CEG ddim wedi cymryd fawr o sylw ohona i, ar wahân i chwerthin am fy mhen pan fyddai'n cael hwyl yn dweud wrth ei ffrindiau fod Madam Maria Daniels Davies yn dweud fy mod i'n anobeithiol ar y piano. Nawr roedd ei ffrindiau yn ei hamau hi o ddweud celwydd amdanaf a dechreuais dderbyn negeseuon testun annifyr oddi wrthi.

Ar ben hynny roedd yr un hen gwestiynau'n codi o hyd; pryd wnes i ddarganfod fod gen i dalent? Pryd oeddwn i'n hoffi ymarfer? Beth oedd fy hoff ddarn ac oedd gen i gariad? Roedd popeth yn dechrau mynd yn ddiflas iawn.

A dechreuodd Nodyn bach hyd yn oed achosi poen meddwl i mi. Achos, ti'n gweld, roeddwn i'n mwytho Nodyn bob bore a chyn pob cyngerdd. Awgrymodd doctor pwysig o Brifysgol Caerdydd ar newyddion S4C mai'r sioc o weld Madam y prynhawn hwnnw oedd wedi achosi i fy ymennydd ymateb yn y ffordd yna a deffro fy nhalent ryfeddol. Ond roeddwn i'n gwybod yn wahanol, yn doeddwn? Roeddwn i'n gwybod bod Nodyn yn gath arbennig, arbennig iawn a'i bod hi wedi fy newis i'r noson ychafiofnadwyaethus honno pan gollodd hi Madam. Anrheg Nodyn i ddiolch i mi am ei charu oedd y dalent hon.

Fy mhryder i oedd y byddai rhywbeth yn digwydd i Nodyn neu fy mod i'n methu rhoi mwythau iddi am ryw reswm ac y byddai fy nhalent yn diflannu.

Allwn i ddim gadael i ddim ddod rhyngom ni, ac weithiau byddwn yn gorfod gwneud esgusodion.
Un diwrnod, er enghraifft, ffoniodd dyn o'r cwmni recordiau i ddweud fy mod i wedi cael gwahoddiad i berfformio mewn cyngerdd yn Efrog Newydd a dechreuais gael poenau yn fy mol wrth feddwl am y peth. Roeddwn i isio mynd, wrth gwrs, ond allwn i ddim mentro mynd heb Nodyn. I ddechrau, mi wnes i esgus nad oeddwn i'n hoffi hedfan mor bell. Synnodd Mam a Dad at hynny oherwydd roedden nhw'n gwybod fy mod i wrth fy modd yn hedfan. Felly mi ddefnyddiais esgus arall:

"Dwi'n rhy ifanc i fynd i gyngerdd yn Efrog

Newydd, mi faswn i'n rhy nerfus."

Edrychodd Mam a Dad ar ei gilydd mewn syndod.

"Ti'n iawn," meddai Mam, "mi ddaw cyfle arall rywbryd yn y dyfodol."

"Wyt ti'n siŵr?" holodd Dad, yn gweld ei gyfle i weld Efrog Newydd am ddim yn diflannu.

"Os nad ydi hi am fynd i Efrog Newydd, yna does dim rhaid iddi," mynnodd Mam.

Mae mamau'n grêt weithau, yn tydyn?

O! Roedd cadw'r gyfrinach am Nodyn a sut y rhoddodd y dalent yma i mi yn mynd yn fwy ychafiofnadwyaethus o anodd bob dydd, ac roeddwn i bron â ffrwydro isio dweud wrth rywun. Ac yn y diwedd mi wnes i.

Un nos Wener roedd Bethan wedi dod ata i i aros dros nos a doedd ond un peth ar ei meddwl.

"Pam nad oeddet ti ddim isio mynd i Efrog Newydd?"

"Dwi wedi deud wrthot ti."

"Dydw i ddim yn dy gredu di, achos rwyt ti wrth dy fodd yn hedfan."

"Dwi'n rhy ifanc."

"Ti'n siarad fel blincin athrawes. Na, roedd yna reswm arall. Dweda'r gwir."

Ac mi wnes i, achos roedd o'n gyfle i ddeud wrth rywun, a Bethan oedd fy ffrind gorau i wedi'r cwbl.

"Nodyn?" gofynnodd gan edrych arna i'n amheus.

"Ia. Nodyn sy'n gyfrifol am hyn i gyd. Ffordd

Nodyn o ddiolch i mi am ofalu amdani ydi'r dalent yma o allu canu'r piano. Ac felly alla i ddim fforddio bod i ffwrdd oddi wrthi am amser hir, yn enwedig mewn gwlad bell."

"Beth? Paid â siarad mor wirion," chwarddodd Bethan nes oedd hi yn ei dyblau.

"Wnest ti ofyn am y gwir, a dyna'r gwir, Bethan."

"Ond sut all cath . . . ?"

"Dydw i ddim yn gwybod, Bethan, ond . . . "

"Alla i ddim credu hyn. Mae'r peth yn anhygoel. Mae'n rhaid fod yna eglurhad arall."

"Oes gen ti eglurhad gwell?"

"Nac oes ond . . . "

"A does dim angen dweud wrth neb, nac oes?"

"Na, wna i ddim."

"Wyt ti'n addo? Cyfrinach ti a fi a Nodyn fydd hon. Ti'n addo?"

"Ydw, dwi'n addo. Pwy fasa'n fy nghredu i beth bynnag?"

"Ond wnei di ddim, wnei di?"

"Na wnaf, dwi'n addo."

Ond dweud wnaeth hi. Mi ddywedodd hi wrth Alys. Ac mi ddywedodd hi wrth Jac. Ac mi ddywedodd wrth . . . A dyna sut y daeth pawb i wybod.

Ac o'r funud honno roedd bywyd yn fwy o boen hyd yn oed.

Pennod 8

Erbyn amser chwarae dydd Llun roedd pawb ym Mlwyddyn 4 yn gwybod. Ac o fewn dim roedd y stori wedi cyrraedd clustiau Mrs Jenkins.

"Beth yw'r nonsens yma rwy'n glywed am gath, Shauna?" gofynnodd wrth i mi fynd allan i chwarae.

"Bethan sydd wedi creu stori wirion amdana i, Miss," atebais. Celwydd arall, ond be wnawn i?

"Mmm. Mae gan Bethan Lewis ddychymyg byw iawn ambell waith."

"Oes, Miss, ond dydi hi ddim yn stori dda iawn, nac ydi? Mae hi'n *rhy* anhygoel, yn tydi?"

"Ydi mae hi," atebodd Mrs Jenkins a hwylio heibio.

Rhoddais ochenaid o ryddhad, ond yna cornelwyd fi gan CEG a'i ffrindiau.

"Yr hen gath hyll yna oedd gan Madam Maria Daniels Davies sy'n gyfrifol, felly?" meddai CEG yn sbeitlyd.

"Paid â bod yn wirion, dwyt ti ddim yn credu bod hynny'n bosib, wyt ti?" atebais gan geisio swnio'n ddifater.

"Wrth gwrs nad ydw i, ond dyna ddwedaist ti wrth Bethan."

"Paid â gwrando arni. Mae Bethan yn hoffi straeon ffantasi. Ti'n gwybod y math o lyfrau mae hi'n eu darllen!"

Edrychodd i fyw fy llygaid am eiliad ac yna symud i ffwrdd. Ond wrth adael dyma hi'n gofyn cwestiwn achosodd i fy nghalon suddo.

"Ble mae'r gath hyll 'na'n cysgu yn ystod y nos?"

"Yn y garej. Mae Dad yn . . . " atebais yn ddifeddwl, gan ddifaru i mi agor fy ngheg fawr.

Oedd, roedd Dad yn mynnu bod Nodyn yn cysgu yn ei basged yn y garej ond doeddwn i ddim am i CEG wybod hynny. Doedd y clo ar ddrws y garej ddim yn gweithio ac mi fyddai'n hawdd iawn i unrhyw un ddod draw un noson a dwyn Nodyn. Fyddai CEG ddim yn meiddio gwneud hynny, na fyddai?

Ond o'r diwrnod hwnnw ymlaen roeddwn i'n erfyn ar Dad i adael i Nodyn gysgu yn y gegin.

"Dim o gwbl!" oedd ei ateb swta bob tro.

A phan gyrhaeddon ni adref un noson – wedi i mi fod yn recordio *Noson Lawen* arall i S4C – a gweld bod drws y garej yn llydan agored, roeddwn yn meddwl fy mod i wedi colli Nodyn am byth.

"Rhyfedd. Mae'n rhaid fy mod i wedi anghofio cau drws y garej," meddai Dad wrth i'r car stopio.

"*Hi* sydd wedi dwyn Nodyn!" gwaeddais a dechrau crio.

"Paid â siarad lol, ferch," atebodd Dad. "Pwy fasa isio dwyn cath?"

"Wedi crwydro allan i'r ardd mae hi," meddai Mam, yn ceisio fy nghysuro.

Ond er i ni alw ei henw a chwibanu'n uchel ddaeth hi ddim i'r golwg.

Roedd Nodyn wedi diflannu, ac roeddwn i'n gwybod pwy oedd wedi achosi iddi ddiflannu. Mi es i'n syth i'r gwely a chrio a chrio. Ac mi wnes i grio llawer iawn yn ystod yr wythnosau nesaf.

Roedd bywyd yn ddifflas a doedd gen i ddim awydd o gwbl mynd at y piano.

Peidiodd y ffôn â chanu a pheidiodd y gwahoddiadau ymhen amser. Ond yn rhyfedd iawn nid colli bod yn seren oedd yn fy ngwneud yn drist ac yn ddiflas ond colli Nodyn oherwydd, ti'n gweld, roeddwn i'n caru Nodyn, yn ei charu'n ofnadwyaethus.

Bob nos am bythefnos wedi'r noson honno, ar ôl i Dad ddod adref o'i waith bu Dad, Ben a minnau'n chwilio amdani ym mhobman, ond heb lwc. Ac mi wyddwn i pam.

Rhoddodd Dad boster 'Cath ar goll' mewn ffenestri siopau ac anfonodd gopi at yr orsaf radio leol ond ni chawsom ymateb, wrth gwrs.

"Mae cathod yn hoff o grwydro ac mi fydd hi'n siŵr o ddod yn ôl cyn bo hir," cysurodd Mam.

"Wedi trio croesi'r ffordd mae hi, siŵr o fod," meddai Ben, "ac wedi cael ei tharo i lawr gan lori fawr, ac wedi mynd i'r nefoedd at Madam."

Mae brodyr yn gallu bod yn greulon weithiau, yn tydyn?

Gwadu wnaeth CEG pan gornelwyd hi gan Bethan, Alys a Jac a finnau yn yr ysgol drannoeth y diflaniad.

"Pam faswn i isio dwyn yr hen gath hyll yna?" meddai.

Allwn i ddim profi dim heb dystiolaeth, na allwn?

Dechreuodd hi a'i ffrindiau ganu *"Ble mae Nodyn? Ble mae Nodyn?"* bob tro y byddwn yn cerdded heibio, a dechreuais gael negeseuon testun ar fy ffôn oddi wrthi gydag un gair – *Ble?*

Pan welodd Dad pa mor drist oeddwn i ac nad oedd awydd arna i i fynd at y piano, awgrymodd y dylen ni gael cath arall. Ond fyddai dim un gath yn debyg i Nodyn oherwydd roedd Nodyn yn gath cwbl arbennig, yn doedd?

Yr unig gysur i mi, yng nghanol y tristwch, oedd fy mod i'n cael hwyl gyda'm ffrindiau unwaith eto, a mynd ar gefn fy meic i esgus reidio mynydd.

Ond nid dyna ddiwedd y stori . . .

Pennod 9

Aeth wythnosau heibio bellach ers diflaniad Nodyn.

Roedd Mrs Jenkins yn dal i fethu deall sut allai rhywun oedd yn seren ar y piano un funud wrthod mynd yn agos ati y funud nesaf.

"Mae'n rhaid bod y sylw gafodd hi wedi bod yn ormod iddi," meddai wrth Mam.

"Mae arna i ofn fod ei hiraeth am y gath wedi gwneud iddi golli pob awydd i ganu'r piano," oedd esboniad Mam.

Wnes i ddim cystadlu yn yr Urdd eleni, wrth gwrs – ddim hyd yn oed yn y côr.

Mae gan Bethan, Alys a Jac drueni drosta i ond mae Catherine Enfys Gwilym a'i chriw wrth eu boddau gan mai CEG enillodd yn yr Urdd eleni. Dwi'n dal yn ffrindiau gyda Bethan ond wna i byth ddweud cyfrinach wrthi eto.

Bob nos cyn mynd i'r gwely dwi'n mynd at y ffenest rhag ofn fod Nodyn yno, a bob nos wrth fynd i gysgu byddaf yn meddwl beth yn union ddigwyddodd iddi.

Ond neithiwr digwyddodd y peth gorau sydd wedi digwydd i mi erioed. Pan oeddwn i ar fin mynd i gysgu mi glywais sŵn crafu gwan ar ffenest fy ystafell wely, fel petai brigyn coeden yn taro'n erbyn gwydr y ffenest.

Ond, fel rwyt ti'n gwybod, does dim coeden yn agos at ein tŷ ni.

Does bosib? meddyliais.

Es at y ffenest ac agor y llenni a dyna lle roedd hi – Nodyn!

Agorais y ffenest a rhoi'r croeso mwyaf a gafodd unrhyw gath erioed. Mi wnes i roi mwythau iddi, ei chusanu hi a rhoi mwy o fwythau iddi eto.

"Ble wyt ti wedi bod? Ai CEG a'i ffrindiau wnaeth dy gipio? Dwi mor falch dy fod yn fyw."

Ond dim ond edrych arna i gyda'r llygaid mawr tywyll yna wnaeth hi.

"Petait ti ddim ond yn gallu siarad . . . ond beth sy'n bwysig ydi dy fod ti'n ôl."

Gafaelais yn dynn amdani a rhoi'r mwythau mwyaf a gafodd unrhyw gath erioed iddi. Yna, gyda Nodyn yn ddiogel yn fy mreichiau mi es i at ddrws ystafell Ben a'i agor yn dawel. Roedd Ben yn cysgu'n drwm.

"Ben," sibrydais yn ei glust. "Ben."

Y cwbl wnaeth oedd ochneidio a throi ei gefn ata i. Roeddwn i ar fin ei ysgwyd pan deimlais ias yn cerdded drwy fy nghorff. Yna, cefais fy hunan yn cerdded fel pe bawn i mewn breuddwyd i lawr y grisiau. Roedd Nodyn yn fy mreichiau yn canu grwndi'n braf. Pan gyrhaeddais waelod y grisiau dechreuais gerdded tuag at yr ystafell fyw ac at y piano!

Doeddwn i ddim wedi bod yn agos at y piano ers
i Nodyn ddiflannu ond nawr roedd y piano fel
magned enfawr yn fy nhynnu ati hi unwaith eto.
Roeddwn i'n cael fy nenu at y piano fel mae rhywun
yn cael ei ddenu at fan hufen iâ ar ddiwrnod poeth.

Eisteddais ar y stôl a neidiodd Nodyn o'm

breichiau ac eistedd ar ben y piano. Rhoddais fy nwylo ar yr allweddell a dechreuodd fy mysedd gofleidio'r nodau. Roeddwn i'n chwarae Noctwrn Rhif 2 yn E Fflat gan Frederic Chopin.

Dwn i ddim am faint y bues i'n chwarae ond roeddwn i'n mwynhau bob munud a phan orffennais rhoddais fwythau mawr i Nodyn.

Neidiais pan glywais sŵn curo dwylo mawr. Roedd Mam, Dad a Ben yn sefyll yn y drws a'r tri yn gwenu fel cathod.

"Mi wnaeth y miwsig ein deffro ni," meddai Mam gan chwerthin.

"O ble ddaeth hi a ble mae hi wedi bod, tybed?" holodd Dad.

"Dim ots am hynny," meddai Mam, "yr hyn sy'n bwysig ydi bod Nodyn 'nôl adre."

"Ydi, mae hi wedi dod yn ôl aton ni," meddwn i'n dawel.

Mi gafodd Nodyn y croeso mwyaf a gafodd unrhyw gath erioed, pryd da o gig ffres o'r oergell a hufen a dwn i ddim faint o fwythau.

"Dewch nawr, blant, mae hi'n mynd yn hwyr, cofiwch fod ysgol fory a rhaid i ti ddweud y newyddion da wrth dy ffrindiau," meddai Dad yn y man.

"Iawn, Dad," meddai Ben.

"Ym . . . iawn . . . " meddwn innau, ond doeddwn i ddim yn siŵr a oeddwn am i'm ffrindiau wybod fod Nodyn yn ei hôl chwaith.

"Ga i ganu un darn bach arall ar y piano?" holais.

"Wrth gwrs!" meddai Mam a Dad gyda'i gilydd.

Trois a rhoi cusan i Nodyn a'i gosod i eistedd wrth fy ymyl, cyn rhoi fy mysedd ar y nodau. Gwenodd Mam a Dad ar ei gilydd, rhoddais innau winc ar Ben a dyma Nodyn yn dechrau canu grwndi, yn uchel iawn.

Gan yr un awdur:

**Cyfres Mewnwr a Maswr
am yr efeilliaid Llion a Llŷr
– mae rygbi yn bopeth iddyn nhw!**

FFRAINC AMDANI!

GARETH WILLIAM JONES

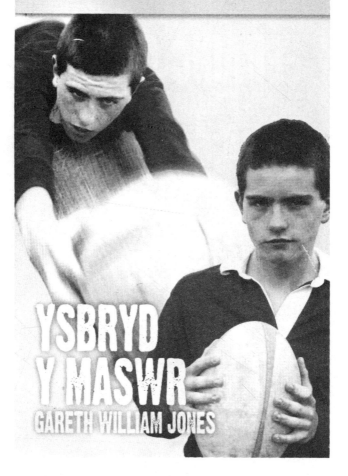

YSBRYD
Y MASWR

GARETH WILLIAM JONES